프랑스만 가보고 죽기로 결심했다.

프랑스만 가보고 죽기로 결심했다.

모도

반항서제

프랑스는 가보고 죽어야겠다.

아니
프랑스만 가보고 죽어야겠다.

비루한 내 삶, 프랑스에서 끝내리라.

Merci d'avoir lu.
– 모도(모 아니면 도)

<u>프롤로그</u>

　무슨 글을 쓸까 고민하다 누군가에게 언젠가 도움이 되는 글을 쓰고 싶단 생각이 들었다.

　내 인생은 프랑스를 빼고는 생각하기 어려웠고 힘든 순간도 잠시나마 좋았던 순간도 프랑스와 함께였다.

　삶이 힘들 때도 돈이 없을 때도 꿈꿨던 그리고 꿈꾸던 나라였다.
　항상 내 삶의 이유는 무엇일까, 내 길은 무엇일까 헤매던 내가 답을 조금이나마 찾은 지금, 나의 괴로웠던 그리고 그럼에도 불구하고 내디뎠던 한 걸음이 누군가에게 도움이 되길 바라며.

통번역사와 강사로 활동하고 있기에 처음 책을 쓸 땐 불어 교육 실용서를 만들 생각을 했었으나
몇 주간의 고민 끝에 마음을 바꿨다.

답은 없지만 프랑스에 가고 싶었던 그래서 그곳에서 내 삶을 찾았던 허접하다 평할 수도 있을
꾸며지지 않은 나의 이야기가 누군가의 마음속에 씨앗을 만드는 데 도움이 되길 바라며.

그 마음이 당신에게 목표를 만들어 주고 그 목표가 당신을 이끌어 주리라 믿으며.

그렇게 자신만의 길을 만들어 가는 이들에게 내 이야기의 일부분이 작은 위로와 Astuce(아스튀스)[꿀팁]이 되고 커피 한 잔 마시면서 편하게 읽게 되는 이야기가 되길 바라며

처음 프랑스를 생각했던 17살의 나로 돌아가, 가족이 아플 때 프랑스로 떠났던 20살의 나로 돌아가,
아니 다 버리고 다시 떠났던 25살의 나로 다시 돌아가,

답은 없지만 프랑스에 가고 싶어.

차 례

CHAPITRE1 :

내인생은 모아니면 도

J'ai entendu souvent dire comme « Après la tristesse, vient la joie ».
Peut-être, tout est faisable.

나는 종종 슬픔 뒤에 기쁨이 온다는 말을 듣곤 했다. 그렇다면, 아마도, 모든 것은 할만
하지 않을까.

1. 유 서

<u>유서.</u>

노트북 파일을 정리하던 나는 낯설면서도 익숙한, 잊혀졌던 문서를
발견했다.

최종 작업일자는 2010년 2월 18일.

정확히 오늘로부터 10년전이었고, 나의 19번째 생일날이었다. 남
들은 이제 막 성인이 되어 친구들과 파티를 가거나 연애를 시작하는,
어른들이 입버릇처럼 말하는 인생의 찬란한 시기였다. 그러나 19살
생일날을 맞은 나는 혼자 방에 앉아 노트북에 유서를 써내려 갔었다.

'맞아... 10년 전 나는 분명히 죽으려고 했었지…'

나는 파일을 클릭하고 한참 망설이다가 파일을 열었다.

'수능 7등급. 이 성적으로 갈 수 있는 대학은 없다. 공부 말고 딱히 잘하는 것도 없고, 뚱뚱하고 못 생겼다. 친구라고 는 게임에서 같이 사냥하는 진짜 이름도, 얼굴도 모르는 가상친구가 전부다.

이정도면 세상을 살아가지 않을 이유로는 충분하지 않을까?

죽어야겠다. 아니, 죽겠다.

그런데 그냥 죽기는 아깝고, 그래도 꼭 가보고 싶었던 프랑스는 가보고 죽어야겠다. 인생도 비루한데, 죽음까지 비루하고 싶지는 않다.

그래, 프랑스 정도면 생의 마지막 종착지로 나쁘지 않은 선택이 될 것이다.'

스타벅스 닷지 자리에 혼자 앉아 유서를 써내려 가던 나는 창밖을 멍하니 바라보며 지나다니는 사람들을 관찰했다. 각자가 본인의 목적지로 가기 위해 분주히 움직였다. 갈 곳 잃었던 나는 이제 막 내 목적지를 정한 참이었다.

바로 '프랑스에서의 죽음'.

철없는 생각이지만 내가 할 수 있는 것, 그리고 하고 싶은 것은 이것 밖에 없었다. 모든 사람들이 저마다 다른 모습으로 살아간다. 그러나 그 모습을 결정하는 건 타고난 유전자가 8할이라고 생각한다. 못생기고 뚱뚱한, 공부도 잘 못하는 머리를 가지고 태어난 내가 할 수 있는 것은 없다.

반면에 하고 싶은 것은 많다. 내가 가장 좋아하는 『꿈꾸는 다락방』 책과 항상 가방속에 챙겨 다니는 보라색 다이어리에는 목표가 가득하다.

〈목표〉

1. 메이플스토리 레벨 177(당시의 만렙은 200이었다)
2. 베스트셀러 작가 되기
3. 유명한 화가 되기
4. 날씬해지기(최소 50kg 이하로, 지금은 65kg이다.)

그 외 티비 유명프로그램에 나가 강연하기,8대 전문자격증 중 (프랑스와 연이 깊은) 노무사 취득하기, 서울 한강뷰와 남산뷰를 동시에 조망하는 아파트 매매하기, 가족들과 매년 세계 여행 다니기, 사랑하는 사람 만나서 서로만을 평생 사랑하기등...

정말 하고 싶다고 생각한 것은 모조리 적어놨다.

『꿈꾸는 다락방』에서는 생생하게 꿈을 머릿속에 그리면 뭐든지 이

루어 진다고 했었는데… 이렇게 못난 내가 과연 책의 내용처럼 꿈을 이룰 수 있을까? 나 같은 사람도 정말 할 수 있는 걸까…

나도 꿈꾸는 다락방에 나오는 한 이야기가 될 수 있을까.

나는 빼곡히 적힌 목표 리스트 밑에 '프랑스에 가서 살다가 죽기'를 추가로 적어놓고 형광펜으로 밑줄을 그었다.

그리고 프랑스에 가서 살 수 있는 직업이 뭐가 있을 지 고민했다. 아무리 생각해봐도 할 줄 아는 것은 게임밖에 없었다. 한창 좋아하던 게임 '메이플스토리' 레벨은 63. 그것도 하루 종일 파티원들이 사냥을 도와줘서 만들어 낸 성과였다. 현실에서는 잘 말도 못하면서 게임 속 가상친구들과 대화만 했다.

머리가 아파진 나는 노트북을 닫고 짐을 챙겨 집으로 향했다.

2. 오늘도 내가 한 고민은 게임 속 레벨업, 2차 전직을 고민하다

나는 게임속에서 힐러라는 직업을 골랐다.

나서서 사냥하는 것도 싫고 싸우는 것도 싫고 해가 되는 것도 싫다. 공격력은 약하지만 꼭 필요한 존재가 되고 싶었다. 세상의 빛과 소금. 그러한 직업이 힐러와 딱 맞아떨어진다 생각했다. 전사나 궁수가 앞에서 싸울 때 피를 채워 주고 도와주는 서브의 역할을 하며 같이 보스를 잡는 느낌이 좋았다. 파워는 좀 약하지만, 그래도 없어서는 안 될 존재였다.

'나도… 힐러 같은 직업을 가지면 좋겠다.'

그러면 내가 직접 싸우지 않더라도 다들 나를 필요로 할 거고, 나도 외롭지 않지는 않을까. 그렇다고 사람들과 부대끼며 사는 걸 좋아하는 건 아니지만, 적어도 다른 사람들과 다툴 일이 덜하지는 않을까.

나는 프랑스에 가서 살 수 있으면서도, 힐러 같은 직업이 뭔지 고민했다. 게임말고 좋아 하는 것은 그림 그리기 정도였다. 공부는 하기싫고, 그림을 그리다보면 잡생각이 없어지기 때문이었는데, 큰 고민없이 그림을 그리고 있노라면 마음이 편해졌다.

그렇다고 그림을 잘 그리는 것은 아니었다. 미대를 준비하는 친구들에 비하면 객관적으로도 수준 차이도 많이났고, 게임만큼 열심히 하지도 않았다.

어느날 아빠가 나를 앉혀 놓고 물었다.

아빠 모도야, 그림은 취미로 해.

나 왜요?

아빠 그렇게 그리면 그림으로 못 먹고살 것 같은데. 아니면 공부를 열심히 하면 아빠가 무슨 일이 있어도 그림 계속 그리게 해 줄게

나 ……..

아빠 아니면 게임을 그만하든지. 왜 이렇게 게임만 해.

나는 아빠의 말을 무시했다. 어차피 하고 싶은 것은 프랑스에 가서 죽는 것 뿐이었고, 특히나 수능공부는 죽어도 하기 싫었다.

수능 전날까지도 게임만 했다.

아빠도 더이상 나를 말리지 않았다.
아침에 엄마는 내가 좋아하는 돼지고기가 담긴 따뜻한 도시락을 싸 서 수험장까지 데려다줬다.
수능을 마치고 나오는 데 엄마의 차가 그대로 서있었다. 왜 돌아가

지 않았느냐고 묻자, 엄마는 내가 중간에 포기하고 나올까봐 겁이 나서 못갔다고 했다.

몇 주 뒤 나는 내 19살 인생을 대변하는 수능 성적표를 받았다.
언어 7등급, 수리 7등급, 외국어 7등급.
평소에 좋아하는 숫자인 7이었지만, 이날은 끔찍한 숫자라고 생각했다.

3. 수능 성적을 받다

나는 세상에 있으나 마나 한 존재였다.

오늘이 어제 같고 내일이 오늘 같던. 어느 것 하나 잘하는 게 없는, 오늘 당장 죽는다 해도 아무도 모를 것은 그런 존재였다.

그나마 나를 믿어 주는 엄마가 있었다.
믿었다기보단, 그냥 자식이 잘됐으면 하는 마음이 컸을 엄마다.

외국에서 미술 공부를 하겠다며 없는 집에서 방법도 찾지 않고 우기고 그림도 안 그리던, 제대로 작품 하나 완성해 본 적 없던 나였지만, 프랑스에가서 살겠다고 하니(물론 5년 뒤에 죽을 것이라고 말 못했지만), 엄마는 할 수 있다며 응원했다. 그러나 수능 7등급을 받은 내 꿈을 친척들은 분수를 모른다며 혀를 끌끌 차기도 했다. 엄마에게 '모도 때문에 고민이 많으시겠어요'
라는 말을 서슴지 않고 하기도 했다. 그래서 친척모임을 최대한 피했고 어쩔 수 없이 참석하면
친척들의 말을 애써 모른 척하곤 했다.

4. 수능 7등급과 인생 7등급

방 안에서 나는 다시 성적표를 폈다.

여전히 7등급이다.

맨날 들고 다니는 다이어리에 빼곡히 적혀 있는 '할 수 있다'는 글들과 어울리지 않은 숫자다.

'솔직히 게임만 하는데 어떻게 좋은 성적을 받겠어' 하다가도, 인생을 게임이라 생각해 보면 뭔가 할 수 있을 것만 같았다.

'그래. 어찌됐건 프랑스에 가는 것을 포기하지는 말자. 그런데 도대체 어떻게 갈 수 있을까. 가능은 한 것일까'

이중적인 마음이 나를 시도 때도 없이 흔들었다. 원래라면 대학교 지원서를 넣어야 하는 시기지만, 원하는 학교에 합격할 가능성이 없었다. 엄마는 어색한 표정으로 건네는 내 성적표를 받아들었다.

항상 모도에게 뭐든지 할 수 있다고 말했던 엄마였지만, 그날, 나는 엄마의 얼굴에서 절망을 봤다.

세상이 무너진 듯한 표정이었다.

한참 성적표를 바라보던 엄마는 급히 갈 데가 있다고 집 밖을 나섰다. 엄마가 나간 후 나는 방에 들어갔다. 사방에는 '할 수 있다'라는 포스트잇이 빼곡히 붙어 있다. 웃음이 났다.

'뭘 할 수 있다는 거야. 도대체.'

목표하던 게임 레벨177이 얼마 남지 않았던 어느 날, 나는 우연히 티비 속에서 프랑스어 통역사를 보게되었다. 프로페셔널한 모습으로 통역을 하는 그녀는 예쁘고 멋있었다. 인터뷰를 하는 것은 싫지만 인터뷰 통역을 해주는 것은 나쁘지 않았다.

'이거면 되겠다.'
프랑스어라고는 봉쥬르. 메르씨밖에 몰랐지만 프랑스어 통역사를 하면 프랑스에서 멋지게 살다가 죽을 수 있을 것 같았다.

진짜 하고싶은 일이 생기니깐 그렇게 좋아하던 게임도 흥미가 사라졌다. 게임 속 가상친구들에게 짧은 작별인사를 남기고 미련없이 아이디를 삭제해버렸다.

프랑스어 통번역사가 되려면 프랑스 대학교에 가야될 것 같았다. 하루종일 '프랑스어 통번역사 되는법', '프랑스 대학교 입학하는 법'

등을 검색하고 내용을 정리해 나갔다. 인터넷에 따르면, 프랑스 학비는 당시 국립대 기준 학기당 약20~30만원대였다. 우리나라와 달리 정부에서 학비를 많이 지원해줬다. 그 정도면 생활비를 포함해도 현실적인 금액이라고 생각했다. 특히 파리 내 국립대학교 순위는 대부분 세계 100위권 내로, 우리나라 1위 대학교라서 나는 꿈도 못 꿔볼 대학교인 서울대학교보다도 더 높은 순위라는 점이 마음에 들었다.

그날 나는 꿈을 꿨다. 정말 오랜만에 꾸는 꿈이었다.
그 꿈에서 아빠와 엄마는 동생 모연과 같이 프랑스 루브르 박물관을 구경을 하고 있다. 가족은 모두 행복한 미소를 띠며 나를 자랑스러워 한다.

'지금 19살이니깐 딱 스물넷까지 5년만 달려보자.
그때까지 프랑스에 못가면 죽어야겠다. 아니 죽겠다.'

나는 수없이 되뇌었다. 이제 막 퇴근해서 피곤한 기색이 역력한 아빠에게 다가가 나는
프랑스어 통역사가 되고 싶다고 말했다.

아빠는 모처럼 웃으며 대답했다.
"그래, 괜찮네. 잘생각했네. 그런데 언어는 도구로 많이 쓰이니까 모도 너만의 전공이 꼭 있으면 좋겠다. 기특해 모도야."

5. "쟤는 대학도 못 갈 거야. 가봤자 뻔하지 뭐."

나는 7등급의 성적으로 간신히 지방대 프랑스어과에 입학했다.
엄마가 여기저기 뛰어다닌 결과였다.

갑자기 프랑스어과에 입한한 나에게 친구들은 지방대 프랑스어과
를 졸업해봤자 통역사도 되지 못하고 프랑스도 갈 수 없을 것이라고
말했다. 물론 친구들만의 이야기는 아니었다. 친척, 동네이웃 할 것없
이 나의 꿈을 비웃었다.

나는 보여주고 싶었다.
나의 생각, 나를 항상 지지하는 가족의 말이 맞다는 것을,
밀이 아닌 행농으로 보여주고 싶었다.

6. 우리 아빠는 폐암 투병 중입니다

지방대에 붙고 평화로운 날들이 지나갔다. 나는 프랑스에 가기 위해 비록 지방대지만 프랑스어 공부에 매진했다. 특히 내가 들어간 대학교에서는 3학년이 되면 프랑스 오를레앙 대학교에 1년동안 교환학생을 보내주는 프로그램을 운영하고 있었다. 그리고 프랑스어 자격증인 DELFB2레벨을 취득하면 오를레앙 대학교 연계 입학도 가능했다. 비록 1년 과정이지만 프랑스를 갈 수 있는 절호의 기회라고 생각하고 프랑스어 자격증(델프) 공부를 했다. 매일같이 학교가 끝나면 곧장 카페로 가서 아이스 아메리카노 한 잔을 시켜놓고 공부를 했다. 고등학교 3년동안 공부한 양보다 지난 한달동안 공부한 양이 더 많았다.

순탄할 것 같았던 나의 프랑스 프로젝트는 어느 날 갑자기 찾아온 불청객으로 인해 모든 게 망가졌다.

그날은 유달리 하늘이 포근한 날이었다. 약간의 선선함과 코끝에 바스러지는 나뭇잎과 은행 냄새가 유난히 짙었다. 한참 카페에 앉아 있던 나는 카페 맞은편 엄마가 일하는 김밥가게로 갔다. 내가 대학교에 들어간 이후 부모님은 마치 내가 장원 급제라도 한 것처럼 기뻐했다. 항상 가게로 들어오는 나를 함박웃음으로 맞아주었다.

그런데 그날은 엄마의 표정이 무언가 이상했다. 방금 막 운 듯한 눈에 무어라 말하고 싶은 지 입이 씰룩댔다. 누가 엄마에게 욕이라도 한 바가지 한 줄 알았다. 엄마는 조심스럽게 말을 꺼냈다. 기어가는 목소리에 제대로 듣지 못했지만 아빠가 아프다고 했다.

　나는 대수롭지 않게 대답했다.
　'아빠가? 갑자기?'
　담배를 그렇게 피워도 의사가 폐가 깨끗하다고 말했다며 기뻐하던 아빠였다.

　내가 아빠의 시한부 판정 사실을 안 것은 그로부터 한달이나 지나서 였다.

7. 그래도 나는 프랑스에 갑니다

입학 전부터 그려 왔던 프랑스 교환 학생에 지원한 이후 아빠는 폐암 말기 판정을 받았다.

우리에게 6개월만 남았다고 했다. 잔소리가 심해 싫어했던 아빠를 막상 6개월밖에 못 본다고 생각하니, 아빠를 미워한 자신이 원망스러웠다. 내 마음을 아는지 모르는지 아빠는 한없이 긍정적이었다.

어느날 내가 말했다.
"아빠, 걱정되는데 심폐 소생술이라도 배워 놓을까."
아빠가 대답했다.
"아니. 아직 괜찮아, 딸. 아빠 우리 딸들 두고 절대 어디 안 가."

불행인지 다행인지 나는 교환 학생에 떨어졌다. 예산이 부족해서 학점이 우수한 일부만 갈 수 있다고 했다. 그래도 아빠 옆에 있을 수 있으니까 그게 나은 건가 하면서도 한편으로는 아쉬웠다. 나는 그런 생각이 드는 내 자신이 괴물 같았다. 아빠도 나의 교환학생 탈락 이야기를 듣고 밤을 꼬박 새 충혈되어 눈이 새빨개졌다. 아빠가 살아있는 동안 내가 프랑스에 가는 것을 보지 못하는 것이 너무 아쉽다고 했다. 그리고 아빠가 이어 말했다.

"딸, 아빠가 이번에 무슨일이 있더라도 프랑스에 보내 줄게. 그리고 아빠가 딸 한국 올 때까지 꼭 살아 있을게. 그러니까 가서 프랑스도 보고 꿈을 이루고 와."

아빠의 간절한 바람이 하늘에 닿은 것일까.

학교로부터 갑자기 교환학생 지원자 중 불합격했던 인원 전원을 교환 학생으로 보내준다는 통지를 받았다. 모 교수가 장학금을 기부하면서 전원 갈 수 있게 되었다고 했다. 아빠는 자신의 암이 나은 것처럼 기뻐했다. 나는 그 길로 프랑스행 비행기에 올랐다. 아빠 곁을 떠나고 싶지 않았다.

그러나 그보다는 아빠가 이 땅에서 사라지기 전에
그의 나에 대한 믿음이 틀리지 않았다는 결과물을 손에 쥐여 주고 싶었다.

그게 아빠를 위해 할 수 있는 최선이라고 믿었다.

8. 프랑스 대학교 입학 자격 점수, 'DELF B2'

I. 프랑스 도착

프랑스에 도착한 첫날, 복잡한 마음과 다르게 풍경은 단조롭고 예뻤다.

하얀 건물에 쭉 뻗은 트램을 볼 때면 마음이 평안해졌다가 다시 괴로워졌다.

한국에 있는 아빠는 고통 속에 살 텐데. 동생과 엄마가 매일 겪을 슬픔을 가늠할 수 없었다.

같이 교환 학생 온 친구들은 프랑스의 멋진 풍경 이곳저곳을 사진으로 남길 때, 철없는 나의 마음은 갈피를 잃었다.

좋았다가 슬펐다가 우울했다. 절실하면서 불안했다.

어린 마음이 다시 튀어나왔다.

수능 전 게임 속으로 도망쳤던 아이처럼 다시 도망치고 싶었다.

그렇지만 이번엔 그럴 수 없었다. 마음이 멈칫할 때면 가족이 떠올랐다.

아빠의 임종을 못 볼 수도 있다는 두려움과 맞바꾼 프랑스 생활은 이미 불효였다.

매 순간이 괴롭기 시작했다.

그런데 아빠도 살아 있겠다고 하지 않았던가.

그러니 차마 피할 수 없었다.

죽을 날을 받아 놓고서도 살려고 노력하는 아빠를 위해서,

그 옆에서 간호하며 매일 아빠의 비명을 듣는 엄마와 동생을 위해서

그리고 그런 우리 가족과 함께할 내 미래를 위해 끝까지 해보자 싶었다.

II. 그럼에도 불합격하다.

100점 만점에 50점만 넘으면 통과하는 프랑스어 자격시험(DELF B2)에 떨어지고 말았다.

근소한 차이도 아니었다. 이 시험 점수를 가지고 무료 상담을 해준다는 선생님에게 상담받았다. 하루 종일 공부해도 합격하는 데 족히 일 년은 걸린다고 했다.

그래도 한 달 뒤에 있는 시험을 또 보겠다고 우겼다.

같이 프랑스에 온 친구들과 한국에서 프랑스에 이민 온 한국인 언니들은 나를 말렸다.

"불어도 못하면서.. 그냥 교환 학생 왔는데 좀 놀다 가지. B2 합격은 프랑스에 오래 산 우리도 힘들어" "언니 말 듣고 좀 놀아. 왜 그래"

나는 차마 말하지 못했다. 말을 하면 울음이 터져 아빠의 유일한 자랑인 나의 프랑스 생활을 마무리하지 못할 것 같았다. 이 생활을 잘 마쳐야 아빠가 살아 있을 것만 같았다.

그러나 겨우 들어간 B2반에서 나는 어떠한 문장도 알아들을 수 없었다.

나에게 시험을 보지 말라던 언니들은 어느 날부터 나를 무시했다. 내가 언니들의 의견을 무시한다 생각하는것 같았다.

그렇지만 그건 하나도 중요하지 않았다.

.

.

나에겐 아빠의 삶에 대한 당위성을 증명해 줄 시간이 석 달도 채 남지 않았다.

III.재시험과 합격

수업 내용은 알아들을 길이 없으니 수업에 가겠다는 목표는 일찌감치 버렸다. 반에서 불어 한마디 제대로 못하는 나를 볼 눈빛들을 견딜 자신이 없었다. 땡땡이를 치고 내가 살고 있는 사설 기숙사 앞 마트에 갔다. 고민 끝에 작은 프린터 한 대와 3주 동안 먹을 것들을 샀다. 그리고 책 한 권과 기초 문법책 한 권, 인터넷 기사 2개를 골랐다.

'영화도 한편 필요하겠지?'

나는 '악마는 프라다를 입는다'를 골랐다.

주인공이 열심히 살다가 결국 잘나가게 되는 내용이 마음에 들었다. 뭔가 위로도 되는 듯 했다.

그 영화의 불어 더빙판을 찾아 마치 배경음악인 것처럼 24시간 틀어놨다. 아무 소리가 없는 적막한 방이 싫었다. 마음이 바닥에 붙은 것만 같았다.고급 문법은 내 머리론 이해할 수 없으니 그나마 이해가 되는 기초 문법책을 보고 내 나름의 시험 유형을 분석했다. 출제자가 문제를 낸다면 테마별로 내지 않을까.마지막 시험이라 생각하니 불안했다.

공부해서 제대로 성과를 내본 기억이 없었다.

아빠가 실망하면 어떡하지. 그래서 세상을 일찍 등져 버리면 내가 더 이상 삶을 살아 내지 못할 것 같았다. 나는 끝까지 이기적인 생각을 하는 내가 한심했다.

하루에 두 시간밖에 못 잤다.

잠이 안 왔다.

불어가 이해가 되지 않아도 물어볼 데가 없으니 단어를 찾고 또 찾았고 그마저도 하기 싫을 땐 소리 내 읽고 또 읽었다.

잔뜩 사 온 과자가 동이 났다.

스트레스를 먹는 걸로 풀었다.

마트에 다시 나갈 자신이 없었다. 어차피 같은 당이다 싶어 설탕을 퍼먹었다.

동생은 영상통화로 이런 내가 웃기다며 웃었다. 동생은 아빠 옆에서 열심히 간호할 텐데. 나는 여기서 당 떨어진다고 설탕이나 퍼먹고 있구나. 이런 나를 향해 웃어 주는 내 동생이 바보 같았다.

미안하다 말하는 것조차도 이기적인 것 같아 아무 말도 할 수 없었다.

그렇게 2주가 지나 시험을 보러 갔다.

자신은 없지만 온 힘을 다해 내가 한 모든 것을 쏟아부었다.

문법에 맞는지는 알 수 없으니 간절함이라도 보여줘야겠다 싶어 시험지에 가득 글을 적고 발표시간을 꽉 채워 발표했다.

시험이 끝나자 눈물이 났다.

결과는 알 수 없었으나, 이보다 더 잘할 자신은 없었다.

.

.

그로부터 한 달 후, 나는 DELF B2 합격증을 받았다.

9. 한국에 왔다, 우리 아빠는 역시나 살아 있었다

DELF B2를 취득한 이후 나는 마치 할 일을 다한 듯이 굴었다.

프랑스에 아빠와 약속하고 온 첫 마음은 잊어버리고 그저 이 예쁜 나라에서 살고 싶었다. 아빠는 잘 연락이 되지 않았다. 잘 지낸다고 괜찮다고 했다. 암세포가 다른 장기에 전이가 안돼서 거의 다 나았다고 했다.

어느 날 같은 기숙사에 아래층 사는 언니가 겨울 방학 때 한국에 가는데 같이 가자고 했다. 잠깐 고민했지만 왕복 비행기표 값만 100만 원이 넘었다.

'그래 굳이 한국 가서 뭐 해.

아빠도 다 나아 간다는데 방학 동안 이쁜 프랑스 풍경이나 많이 보자.'

몇 달이 지나 교환학생을 마치고 한국에 입국 하던 날, 아빠는 차를 타고 대전에서 인천공항까지 마중 나왔다. 새벽부터 기다렸다고 했다. 아빠는 퀭한 눈에 홀쭉한 얼굴을 하고 있었다.

병이 나았다는 것은 거짓말이었다. 내가 프랑스에 있는 동안 다른 장기에도 모두 암세포가 전이됐다고 했다. 그동안 아빠는 응급실에 오가며 눕지도 앉지도 못한 채로 앓았다. 위험한 부위라 마취도 할 수 없어 결국 생으로 수술을 진행했다고 했다.

수술이 잘 돼서 이제 괜찮다고 말하며 아빠가 웃으며 말했다.
아빠는 그날 나와의 약속을 지켜서 기뻤던 걸까.
아빠가 진짜 괜찮은 건지 또 거짓말인지는 알 수 없었다.

10. 초콜릿과 코마 상태

아빠가 거의 다 나았다는 말을 듣고 나는 또다시 프랑스에 가고 싶어졌다.

아빠는 6개월만 더 있다가 가면 안되냐고 했다.
그 말이 무슨 말인지 몰랐다.

아빠는 그날 이후 방 안에 들어가 초콜릿을 자꾸 먹었다.
머리가 아프다고 했다. 엄마와 동생이 병원에 데려가려 해도 절대 안 간다고 우겼다. 나는 묻지 않았다. 그냥 말도 안 하고 화만 내는 아빠가 미웠다. 12월 25일. 크리스마스 카드를 써주려 했는데 아빠가 미워 쓰지 않았다.

그런데 뭔가 느낌이 이상했다. 마지막으로 아빠에게 편지를 쓸 수 있는 기회인 것만 같았다.
그럼에도 쓰지 않았다. 그리고 이튿날 새벽 4시 26분, 나는 119에 전화를 해야만 했다.

나는 그렇게 마지막 기회를 놓쳤다.

복도에서 쿵- 하는 소리가 크게 들려 문밖으로 나갔다.

6층과 7층 사이 계단에 누군가 누워 있었다.

아빠였다. 이상하게 연신 코를 골고 있었다.

'자는 걸까?'

그런데 코를 고는 아빠를 깨워도 일어나지 않았다. 드르렁거리는 소리만 허공에 메아리처럼 퍼졌다.

119를 불렀다. 소방관들은 아빠가 코마 상태라 했다. 그 길로 아빠는 대전에서 서울로, 서울에서 다시 대전으로 여러 병원을 전전하며 수술을 받았다.결국 몇달 뒤 서울S병원에서 처음 아빠의 암을 진단해 준 선생님이 이젠 아빠와의 안녕을 준비해야 할 것 같다고 말했다.

그렇지만 마지막까지 희망을 놓을 순 없었다. 신약을 쓴다는 대전의 D한방병원에 갔다. 안전성이 아직 검증되지 않았다고 했지만 마지막 희망이었다. 아빠는 12월 26일 쓰러진 이후 한동안 의식을 제대로 회복하지 못했다. 멀쩡한 정신이 돌아오는 시간은 하루 중 몇 시간. 그마저도 버티지 못하고 아빠의 정신은 수차례 꺼지곤 했다.

정신이 잠시 돌아왔던 순간에 아빠는 나에게 물었다.

"모도야, 왜 아빠한테 병원에 가자고 안 했어?"

아빠는 뇌간에 암이 전이가 된 걸 알았다고 했다. 뇌에 전이가 되면 손을 쓸 수 없을 거라 생각했다고 했다. 그리고 초콜릿을 먹으면 전이가 빨라진다는 것을 알고 있었다.

뇌에 암이 전이된 걸 알고 빨리 세상을 등지고 싶었던 걸까. 그런 것도 모르고 또 외국에 나간다는 나를 보고 얼마나 마음이 아팠을까. 늦출 수 있는 자신의 마지막을 외국에 빨리 나가고 싶다던 나를 위해 당기려 했던 걸까. 나는 아빠의 병상 옆에서 하루 종일 울기만 했다.

11. 그렇게 엄마는,

따뜻하고 순했던 엄마는 아빠가 쓰러져 입원한 이후 소처럼 일만 했다. 항암치료를 받고있던 아빠가 사 온 꽃 한 송이에도 하루 종일 행복해하던 엄마였다. 울지도 않고 가게만 지키는 엄마를 보고 엄마네 김밥집 직원들은 독하다 했다.

그 누구보다도 아빠 곁을 지키고 싶었을 사람이다.

친척들도 입원해 있는 아빠 병실에 오지 않는 엄마에게 손가락질하기 바빴다. 아빠가 아프기 전엔 안부 한번 묻지 않던 사람들이다. 심지어는 아빠가 아픈 걸 왜 이제야 말하냐며, 보험료 때문이냐고 막말을 아무렇지 않게 내뱉었다.

아빠는 그들을 '부산에서 사업이 망하고 도움을 구하려 연락했을 때 모른 척했던 사람들'이라 불렀다. 그러니 괜히 연락하면 비참해진다며, 엄마가 아빠의 암투병 사실을 친척들에게 알리려 할 때마다 연신 말렸다.

엄마는 자신의 삶의 전부였던 아빠의 말을 다 들어주었다.

나중에 아빠의 투병사실을 알게 된 친척들은 엄마를 보험료에 눈이 먼, 세상에 둘도 없는 나쁜 년이라고 욕했다. 반평생 자신의 편이었던 사람을 잃어 가는 엄마는 아무말 하지 않았다. 첫째 아들인 아빠를 너무 사랑했던 친할머니는 엄마를 나쁜 사람으로 몰았다가 걱정했다가 비난했다. 할아버지는 엄마에게 '너 때문에 우리 아들이 죽는다'고 비난을 했다. 아들의 아픔을 먼저 알지 못한 것에 대한 한스러움이었을까. 친척들 앞에서 엄마는 날이 선 비난을 온몸으로 받아 냈다. 나는 친척들에게 알지도 못하면서 왜 그러느냐고, 엄마 탓이 아니고 이렇게 말한 할아버지 탓이라 했다. 삼촌이 내 뺨을 때리려 했다. 엄마가 내 앞을 막아 섰다. 그러더니 내 손을 잡고 도망치듯 친척들이 있던 모텔 밖으로 나왔다. 그 모텔도 아빠를 보러 온 친척들이 지낼 곳이 있어야 한다며 엄마가 잡은 곳이었다. 마음에 먹구름이 가득 낀 것 같은 날들이 매일 반복됐다.

12. 아빠

대전의 D한방병원에 도착했던 날이었다.

병원 도착 후 6인실로 배정 받아 옮긴 곳에서, 어느 날 어떤 아저씨가 아빠 앞으로 다가와 몇 가지 질문을 했다. 정신이 돌아오지 않았던 순간에, 아빠가 동문서답을 하자 같은 암 환자였음에도 아빠에게 '바보'가 왔다고 놀렸다. 내가 소리를 지르며 그 환자와 싸우자 엄마는 아빠를 1인실로 옮겼다.

잠시 정신이 돌아온 아빠는
"딱 이 사이즈네. 괜찮아?"라고
우리 안부를 물었다.

자신이 마무리할 공간의 크기가 이 정도인데
아빠가 가고 나면 우리는 괜찮겠냐는 뜻인 걸 나중에야 알았다.

이후 한 달 남짓한 시간 동안 아빠는 정신이 깨면 머리가 너무 아프다고 했고, 마약성 진통제를 주면 곧장 와그작 씹어 먹고 잠들곤 했다. 아빠는 떠나기 전날 밤, 가게 문을 닫고 아빠 병실에 도착한 엄마와 나에게 숨을 헐떡이고 있던 아빠는, 엄마와 나를 보고서야 그제야 안심한 듯 '모도야 동생좀 잘 부탁해'라고 말했다. 나는 '엄마한테 부탁해야지'라고 했지만 그래도 나에게 잘 챙기라고 말했다.

그런 아빠가 너무 바보 같았다.

13. 아빠 안녕

다음날 아빠는 갑작스레 목 안에 낀 가래를 빼내다 심정지가 왔다. 다른 일반 병원으로 급하게 옮겼으나 며칠 만에 뇌사 상태에 빠졌다.

우리는 눈을 꼭 감은 아빠에게 마지막 인사를 했다.
이상하게 슬프지 않았다. 아무런 감정이 느껴지지 않았다. 현실인지 꿈인지 확신할 수 없었다.
나는 그렇게 아빠를 잃었다.

아빠를 보내고 나는 계획을 좀 더 앞당겨,
통역사가 되지 않더라도 그냥 프랑스에 가서 죽기로 결심했다.

어릴적 뉴스에서 지진으로 딸을 잃은 사람이 나왔을때, 아빠는 내가 죽는다면 자기도 같이 따라 죽을거라고 했다.

나도 마찬가지였다. 나도 아빠를 따라 죽기로하고 비행기표 값을 구하기 위해 전화로 프랑스어를 가르치는 회사에서 알바를 뛰었다.

프랑스에 다시 간다는 나에게 동생이 말했다.
"언니는 아빠 죽어갈 때 외국에 가 있더니, 이번에는 엄마 다 늙고 나서 와서 또 후회할거야."

머리를 한 대 맞은 것 같았다.

나는 한국에, 가족 곁에 남기로 했다.

그 것은 내가 살면서 했던 결정 중 제일 잘한 결정이었다.

14. 이제 도망은 안 가야겠어요

한동안은 불어가 꼴도 보기 싫었다.

그러나 나를 믿어준 아빠의 마음을 저버리고 싶지는 않았다.

일종의 죄책감이었다.

불어 공부를 다시 시작했다. 불어과외와 통번역 알바를 하며 서울
에 있는 통번역대학원을 지원했다.

통번역대학원의 벽은 높았다. 1년, 2년, 3년째 떨어지자 괴로워하
는 나에게

동생은 내가 프랑스를 못 가게 한 것을 후회하며 이제는 가도 된다
고 했다.

나도 한국에서는 프랑스어 실력이 도저히 늘지 않아 다시 프랑스에
가서 기본기를 닦아 와야겠다 는 생각이 들었다.

동시에 두려웠다.

또 가족이 아플까 봐.

또 내가 외국에 있다고 걱정시킬까 두려워 안 좋은 일이 생겨도 꽁
꽁 숨길까 봐.

그런데 욕심은 또 생겼다. 여전히 나는 이기적이었다.

여러 유학원에 가서 상담을 받았다. 학사편입은 1년, 석사는 2년이 걸린다고 했다. 상담사는 학사편입은 마지막 학년인 3 학년(프랑스 국립대학은 3년제이다)으로 들어가서 졸업해야 하는데 현재 내 실력 으로는 절대 불가능하니, 돈낭비하지 말고 석사를 하는 것이 좋겠다 고 권유했다.

몇몇 유학원에서는 유학가봤자 실패할 거라며 어차피 실패할 유학 의 수속을 본인의 유학원에서 밟아줄 순 없다며 석사입학을 할 생각 이 생기면 다시 연락하라 했다.

나는 2년이라는 시간 동안 가족을 떠나있는게 무서웠다. 그래서 상 담 받은 모든 유학원의 만류에도 불구하고 학사편입을 선택했다. 그 리고 이왕이면 문학 분야에서 제일 유명한 학교에 가서 멋있게 학교 도 졸업하고 싶었다. 그리고나서 한국에 다시 돌아와 통번역 대학원 에 입학해서 프랑스어로 된 책도 내고 언젠가 우리 가족 이야기도 한 번 써보고 싶다고 생각했다.

그리고 그 책이 영화로 나왔으면 했다. 아빠의 유일한 취미가 영화 보는 것이었기 때문이다. 이 모든 내용을 대학교 편입 지원동기서에 작성했다.

유학원을 통해 진행한 원서가 대사관 면접 날 서류가 잘 못되었다고 연락이 왔다.

내가 최종 확인 했어야 하는 일이었지만 유학원에 화가 났다. 뒤늦게 서류를 수정해서 대사관으로 직접 보내고 기다렸다. 떨어질 것 같아 불안한 마음으로 잠을 자지 못했다.

그럼에도 마치 이미 붙은 것 마냥 출국을 준비했다.
'신이 있다면, 그래서 나를 본다면, 나를 붙여주지 않을까.'
내 인생의 키가 프랑스 대학교 합격에 있는 것 만 같았다.

15. 소르본대학교에 합격하다

프랑스 파리 소르본대학교에 붙었다. 믿기지 않았다.

그래도 하면 되는구나 싶었다. 학비를 벌기 위해 과외와 번역일을 미친 듯이 하기 시작했다. 지금 이 상황에 집에 손을 벌리는 것은 인간의 도리가 아니라고 생각했다.

별 보고 나왔다가, 별이 뜨면 집으로 들어갔다.

두 달 만에 내 통장에는 딱 천만원이 찍혔다.

그리고 프랑스로 떠났다.

엄마와 동생의 내가 프랑스 대학교에 합격한 걸 자랑스러워 했다.

그러나 친척들은 여전히 나를 무시했다. 특히 학창시절부터 나를 공부 못한다고 무시하던 친척언니는 나를 '분수도 모르는 미친년'이라 했다. 아빠 보험금으로 외국 대학교에 간 것 아니냐고 뒤에서 험담을 하기도 했다. 나는 친척언니에게 전화를 걸어 '인생 최대 업적이 대기업에 다니는 남자랑 결혼한 것 뿐인 여자' 라고 말했다. 한동안 친척언니가 날뛰었다는 이야기를 전해들었지만 무시했다.

프랑스에서는 반복되는 날들이 흘러갔다.

유학원에서 경고했던 것처럼 프랑스 대학교를 편입해서 졸업하는 것은 불가능에 가까운 일이었다.

수업이 끝나고 공부하기 바빴다. 파리 시내에 살면서도 에펠탑은 구경도 하지 못했다.

수업 내용이 이해가 되지 않았다.

20점 만점에 10점만 넘으면 통과하는 문학시험에 6점을 맞고 전전긍긍하고 있는데 항상 옆에 앉는 프랑스 시인이던 친구가 1점을 맞았단 이야기를 듣고 안도했다가, 괜히 1년이라는 시간과 돈을 다 날려버릴까봐 무서웠다.

매주 시험이 있어 잠을 늘 제대로 못 잤다.

아빠가 다 나으면 같이 와서 보기로 했던 파리는 혼자 볼 자신이 없어 졸업 이후의 숙제로 남겨 놓았다.

파리는 누군가에겐 낭만의 장소이지만 나에겐 전쟁터였다.

16. 낙제의 위기 속에서 들은 한마디, '모든건 할만해'

다른 과목은 그런대로 점수가 나왔지만 마지막까지 제2외국어인 독일어가 발목을 잡았다.

졸업을 위해서는 반드시 독일어 학점이 필요했다.

프랑스어도 어려운데 독일어 문법이라니, 보기만 해도 머리가 핑핑 돌았다. 첫번째 시험은 20점 만점에 9점, 두번째 시험은 8점 이었다. 교수님은 나에게 마지막 시험인 세번째 시험에서 14점 이상 안 나오면 낙제를 주겠다고 말했다.

그러면서도, 나에게 늘 '모도야, 막상 하고나면 별거아니야. 당연히 할수있어. 다 할만하다! 모도는 할수있다!' 고 늘 말해줬다.

반에서 한국인은 나 혼자 였기에, 점수가 안나오는 내자신이 창피하면서도 응원해주는 선생님이 너무 고마웠다.

나는 당시에 독일어도 독일어지만, 인생이 답이 없다고 다시 생각하던 찰나였다.

선생님 말을 매일 떠올리며, 항상 나도 내자신에게 말했다.
'Tout est faisable !(모든건 할만하다!)'

교실에서 유일한 한국인의 낙제 위기에, 세계 곳곳에서 온 같은 반 친구들은 노트를 빌려주고 시험에 나올만한 문제들을 알려주기도 했다. 모두가 도와준 끝에 나는 마지막 시험에서 20점 만점에 14.5점을 받았다.

　나는 그 선생님의 진심어린 말과 행동 덕분에 죽고싶은 마음이 드는 날들을 넘길 수 있었다. 그리고 그렇게 졸업을 했다.

17. 졸업, 그리고 통번역 대학원 합격

프랑스 소르본대학교를 졸업하고 한국으로 돌아온 나는 통번역 대학원 입시를 다시 준비하기 시작했다. 이전에 잠시 다니던 학원에 쭈뼛쭈뼛 찾아가 수업을 들었다.

이번이 마지막이다 싶었다.

이번에도 안되면 프랑스에 기간제로 취업해서 살다가 서른 되기전에 죽어야겠다고 생각했다. 그러자 죽기 전날 동생을 잘 부탁한다던 아빠의 마지막 모습이 떠올랐다.

나는 한숨을 쉬었다.

이제는 죽는 것도 내 맘대로 되지 않는 인생이 되어버렸다.머리가 복잡해졌다.

통번역 대학원 입학 시험 전까지 남은 기간은 약 세 달. 더이상 물러설 곳이 없었다. 준비하는 동안에 그동안 연락이 끊겼던 친척언니에게서 연락이 왔다. 돈 발라서 받은 프랑스어 대학교 졸업장으로 할 수 있는 건 없다고 말했다. 나는 조용히 전화를 끊고 책을 펼쳤다.

역설적이게도 분노 또한 공부의 원동력이라는 것을 알게 되었다.

18. 통역사가 되다. 졸업을 하게 되겠지, 동시 통역사로

프랑스 소르본대학교를 졸업한 그 해,
나는 통번역대학원에 입학했다.

웃긴 일이었다.

죽기 위해서 공부했던 프랑스어는 어느새 내 삶의 전부가 되었고,
꿈을 만들어주고 또 이루게 해주었다.

만19살의 생일날 썼던 유서는 어느새 기억에서 희미해 져갔다.

불쌍한 엄마와 동생을 위해서라도 이제는 죽을 수 없었다. 하늘에
서 아빠가 나를 지켜보는 것만 같았다.

나는 '유서' 파일을 클릭하여 삭제를 눌렀다.

그리고 조용히 노트북을 닫고 하야트 호텔의 통창뷰를 조용히 바라
보았다.

'꿈을 이루었다.'

아직 최종 꿈인 동시통역사가 되기 위한 길은 남았지만 그 마저도
이룰 수 있다는 강력한 느낌이 왔다.

어쩌면 나는 사촌언니가 말했던
내 분수를 아직도 모르는 걸지도 모르지만,

한없이 받은 사랑이 분수가 된다면
한평생을 쏟아 부어도 이 분수를 채울 수 있을까.

나는
더이상 죽기 위해 살지는 않겠다고 결심했다.

'똑똑똑'

장관의 수행비서가 문을 열고 들어왔다.

"통역사님, 이제 장관님이 찾으세요."

"네 알겠습니다."
나는 뒤돌아서며 웃으며 대답했다.

CHAPITRE 2 :
내이름은 화주

돌려받을 희망 없이도 모든 것을 주고, 희생하는 것, 그것이 사랑이다.
C'est cela l'amour, tout donner, tout sacrifier sans espoir de retour.

-A .camus 까뮈

1. 내가 태어난 날 아빠는 내가 죽길 바랐다.

내이름은 화주. 과자공장집 4녀 1남중 넷째딸이다.

나를 낳기 전 딸만 셋이었던 엄마 아빠는 넷째를 이어 낳으면 아들
이겠지 싶어

나를 낳았고, 바람과 다르게 딸이었던 나를 보며 실망했다고 한다.

그래서 죽었으면 하는 생각이 들었다나.

그래서 내가 태어났던날 그 추운 한 겨울에 나를 보자기에 싸서
문 앞에 뒀다고 한다.

한겨울 오후에 태어났던 나는 더 추운 오밤중이 되자
'엉엉' 우는 것이 아닌 '호호' 라는 소리를 냈다고 한다.
그 '호호'라는 소리를 외숙모가 듣고 외숙모가 본인의 집에 데려가

옷을 만들어 입혔더랜다.

그렇게 나는 살았다.

나는 태어나면 안되는 애가 태어났다며 구박을 받고 자랐다.
그리고 내가 태어난 지 꼬박 3년째 되던 해
내 남동생이 태어났다고 한다.

그제서야 엄마 아빠는 내 덕에 아들이 태어났다고 나를 좋아했다.

2. 엄마는 홀로 남겨졌다.

내가 네 살 되던 해였다.

남동생 돌을 앞두고 아빠는 신장염에 걸렸다. 그로부터 며칠 후 아빠는 죽었다.

아빠는 과자공장 사장이었다.

살아생전 아빠가 운영하던 과자공장은 사장인 아빠의 부재로 셔터를 내렸다. 그렇게 공장 직원들은 직업을 잃었고 엄마는 공장을 운영하는 방법을 몰랐다고 한다. 그렇게 아빠가 없어진 과자공장은 부도가 났다. 엄마는 나를 포함한 네 딸과 남동생인 돌이 갓 지난 아들을 키우기 위해 여러 공장을 전전했다. 빵 공장, 과자 공장 등에서 포장을 씌우는 일을 했다고 한다. 그러나 직원 대부분이 20대 였던 공장에서 40대인 엄마는 손이 느리다며 구박을 받았다.

사장이 어느 날 엄마에게 "이렇게 손이 느린데, 월급 받아도 되겠어?" 라고 했다. 눈치를 보던 엄마는 곧 잘리겠다 싶어 일을 그만두었다.

그때부터 엄마는 과일을 팔았다.

엄마는 아빠가 살아 계실 땐 일수놀이를 하던 시장바닥에 앉아 과일을 팔았다.

그 과일 마저도 살 돈이 없어 잘 알던 과일가게에 부탁하고 또 부탁해 외상으로 샀다고 했다. 돈놀이를 하던 곳에서 외상으로 과일을 떼다가 과일을 파는 자신이 창피했다.

그보다 더 무서운 건 나를 포함한 다섯 아이가 자신만 기다리며 굶고 있는 것이었다고 한다.

엄마가 과일 장사를 할 동안 나는 혼자 집을 지켰다.

설거지도 하고, 집안일도 하고, 엄마가 자던 베개의 냄새도 맡고, 엄마가 올 시간만 기다렸다. 내 언니들은 나가서 놀고 내 남동생은 공부를 했다. 그러나 언니들과 남동생 사이 중간에 낀 나는 늘 불안했다. 그래서 나는 남매들 사이에서도 늘 혼자서 집 지키는 일을 자처했다.

'나에겐 엄마가 세상이니까...엄마를 도와주는 사람도 있어야지.'

혼자인 나에게 남은 내 세상인 엄마가 잘 못될까봐
나는 해가지면 하루 종일 대문 앞에 앉아 엄마를 기다렸다.

3. 우리집은 점점 더 가난해졌다.

나는 세월이 지나면 우리집도 형편이 괜찮아질 거라 생각했건만,
우리집은 점점 더 가난해졌다.

사람들은 우리 엄마를 보면 길바닥에 앉아 과일파는 시장과일아줌
마라 불렀고 내가 지나가면 불쌍한 눈으로 쳐다봤다.

아마 사실 그들은 나에게 관심이 없었을 지도 모른다.
그러나 그 당시 나는 내 가난이 들킬까 무서웠다.
그래서 였을까.
나는 엄마가 하루 종일 포도를 팔아 손에 쥐여준 버스비를 친구들
과 콜라를 사서 마시는데 다 써버렸다.

그리고서 학교에서 집까지 두시간이 넘는 거리를 걸어오곤 했다.
그러며 나는 다짐하고 또 다짐했다.
'언젠가는 잘 살리라. 언젠가는. 나는 꼭 잘 살고 말겠다.'

그러기 위해선 돈을 벌 수 있는 19살.
어른이 얼른 되고 싶었다.

4. 나는 가난에서 벗어나고 싶었다.

고등학교를 졸업하자마자
부산대학교병원 입사 시험을 쳐서 9급 기능직 공무원이 되었다.

태어나 처음으로 목숨 걸고 공부를 했다.
공무원이 되면 가난에서 벗어나는 줄 알았기 때문이다.

일제시대에 만주로 피난을 가느라 초등학교 2학년을 중퇴했던 우리 엄마는 처음으로 나를 보며 자랑스럽다 말했다.

월급은 생각보다 많지 않았다.
입사 전엔 매일 치킨을 먹어도 월급이 부족하지 않을 거라 생각했지만

그건 내 착각이었다.

내가 입사한 지 몇달 후 셋째언니가 선을 봐서 결혼했다.
언니는 결혼을 하더니 얼굴을 폈다.

나도 고민을 하다가 내가 가난에서 탈출할 수 있는 방법은 부잣집 남자를 만나는 것이라 생각했다.

고등학교 친구 순이에게 남자를 소개해 달랬다.

소개팅에 나갔더니 사람 좋고 집이 가난한 영동씨가 나왔다. 이야기를 나누다 보니 사람이 참 좋아서 끌렸다.

소개팅이 끝나고 집에 돌아가니, 집에 돌아온 엄마가 다 못 판 포도를 옆에 쌓아두고, 땀에 절은 옷을 빨고 있었다. 그리고 엄마는 나에게, 무릎이 아프다고 말했다. 그리고 이어, 집에 먹을게 없는데 밥은 먹었냐고 물었다.

나는 바로 순이에게 전화를 걸어 말했다.
"순이야, 미안한데 소개팅 없었던 걸로 해줘."

순이가 답했다.
"왜? 화주야. 영동이가 너랑 말이 잘 통한다고 좋다던데."

내가 답했다.
"나도 그래...그런데 너 알잖아. 우리집 가난한 거. 나 가난에서 벗어나고 싶어."

처음 소개팅에 나온 영동씨도 나 만큼이나 집이 어려웠다. 그래서 나는 내가 영동씨와 결혼을 하면 내가 가난에서 벗어나지 못할거라 생각했다. 그리고 며칠 뒤, 희순이가 소개해줄 남자가 있다고 했다.

그 남자가 바로 내생에 유일한 내편, 남편 영환이었다.

5. 영환과 소개팅 하다.

영환과 소개팅 하던 날, 나는 사실 큰 기대가 없었다. 희순이 영환이 잘사는 집 남자라며 좋은 사람이라 했지만, 나는 내가 맞는 선택을 한건지 고민도 되었고 부잣집 남자에 대한 반감도 있었다. 소개팅 할 때 입을 옷을 고르다 짜증이 났다. 내 월급으로 살 수 있는 옷은 부잣집 남자의 마음에 들지 않을 것 같았고 명품을 사기엔 월급이 부족했다. 고민하던 내 자신이 짜증나서 그래서 나는 소개팅 하던 날 추리닝을 입고 갔다.

왜 그랬는지 지금도 모르겠다.

부잣집 사람에 대한 반감 이었을까. 영환은 정장을 입고 왔다. 그래서 당시 소개팅에 추리닝을 입고 온 날 보며 너무 어이가 없고 화가 났다고 한다. 동시에 내가 궁금해 졌다고 한다.

알고 보니 영환의 집도 잘사는 집은 아니었다. 어릴 때는 굉장히 잘살았던 게 맞았다고 했다. 영환의 아빠가 건설업을 해서 한때 잘살았으나 경제위기가 오며 건설업이 부도 수순을 밟았고 이후엔 영환의 어머니가 하는 함바집으로 위기를 겨우 모면하고 이제 먹고사는 정도라 했다.

사실 이러한 일련의 과정이 창피해 아무 에게도 말하지 못했다 했다.

나는 그런 솔직한 그에게 끌렸다.

까무잡잡한 얼굴에 쌍커풀있는 큰눈.

다부진 체격에 솔직한 말씨.

돈이 중요하다 생각했던 나지만, 좋아하고 나니 돈은 보이지 않았
다. 나를 향한 마음이 진심이란 걸 알던 날 부터 나는 그와 결혼을 꿈
꿨다.

6. 영환과 헤어진 이튿날 영환은 나에게 청혼했다.

영환과 나는 꽤나 잘 맞았다. 그러나 늘 음식 문제로 싸웠다. 영환은 곱창을 좋아했고 난 곱창을 먹지 못했다. 결국 음식문제로 싸우다 절대 결혼은 하지 않겠 노라 말하며 반지를 낙동강에 같이 던졌다.

그렇게 내 첫사랑
영환과
이별했다.

이후 울면서 낙동강에서 한시간 거리를 걸어 집에 돌아왔다.
'인생 뭐있어. 이 일도 지나가리라' 라 생각하며 혼자 라면에 소주 한잔을 하고 잤다. 이튿날 병원에서 열심히 일을 하고 있는데 엄마에게 전화가 왔다. 낮에는 내가 일하는데 방해가 될까 집에 불이나도 전화한통 안하던 엄마다.

'무슨일이지...'
중년 여자 한 명과 내 또래 남자 한명이 시장의 엄마 좌판에 찾아왔다고 했다. 일이 끝나자 마자 집으로 오랜다. 엄마도 그 두분을 모시고 집으로 일찍 가겠다 했다.

나는 엄마의 빚쟁이가 쫓아온 줄 알았다. 그래서 반차를 쓰고 집으로 바로 갔다. 집에 도착했더니 갔더니 영환의 엄마와 영환이 있었다.

영환은 본인과 결혼을 안해주면 자신은 죽을 거라 했다. 늘 영환은 한다면 하는 사람이라 생각해, 진짜 죽을까 겁이 났다. 그리고 나에게 인생을 건 사람과 함께 라면 어떤 인생이든 좋을 거라 생각했다.

그렇게 나는, 4월 26일.
내 인생 전부였던
영환과 결혼을 했다.

7. 모도를 임신한 사실을 알게된 날

영환과 결혼한 이후, 두어 달 정도 지났을까. 대략 6월정도 됐을 때다. 유달리 몸이 찌뿌둥하고 무거운 날들이 계속됐다. '회식을 자주해서 그런 가…' 라는 생각이 들었다.

그래서 내가 좋아하는 라면에 맥주를 마셨다. 그래도 몸상태가 이전과 달랐다. '독감인가...'

감기약을 먹었다.
갑자기 뭔가 느낌이 이상해서 임신테스트기를 했다.
두줄이었다.

예상치 못한 임신이었다.
그럼에도 좋았다.

'나도 가족이 생겼구나. 나도 이제 외롭지 않겠구나.'

나는 엄마와 달리 남편과, 그리고 태어날 아가는 (아빠가 없었던) 나와 달리 (아이는 자신의) 아빠와 함께 인생을 꾸려 나가길 바라고 또 바랐다.

8. 모도가 태어나던 날, 나는 죽을 고비를 넘겼다.

이듬해 3월. 첫째 아이를 낳았다.
이름은 모도.
시아버지가 집안의 첫째 라며 신나 했다.

애를 낳기 전, 세네 군데 점집에서 태아의 이름을 받아와 정했다.

주말 저녁 드라마를 보고 있는데 갑자기 진통이 시작했다. 시어머니는 나보고 제왕절개는 애한테 안 좋아서 무조건 자연분만을 해야 한다고 했다.

배가 너무 아팠다.
진통이 시작되고 애를 낳았는데 자궁에 애 머리가 걸렸다나.

내 자궁에 아기 머리가 걸려, 나오지 않았다.
그렇게 24시간 진통을 했다. 죽을것 같았다.

눈앞이 핑 돌고 기절하기도 여러번.
수혈이 필요하단 의사의 말에 나와 다행히 혈액형이 같았던 남편과 남편의 형제들이 헌혈을 해줬다.
수혈을 했음에도 차도가 보이지 않자, 의사가 산모인 내가 죽는다며, 자식과 산모를 고르라고 옥박을 지른 끝에 제왕절개를 했다.

나는 그렇게
미련했다.

9. 인생은 내 뜻대로 되지 않았다.

모도를 낳고 2년 뒤,
둘째 모연이가 태어났다.

그 때는 우리 집이 먹고 살기 힘들었을 때다. 남편이 백수였고, 나
역시도 남편과 사업을 하겠다며 부산대학병원 9급 기능직 일을 그만
둔 때이다. 다행히 그럼에도 여느 다른가정들과 같이 같이 저녁도 먹
고, 일하며 평화로운 날들이 지나갔다.

그러던 모도가 17살 되던 해. 곧잘 하던 공부를 멈추고 갑자기 그
림을 그리고 싶다 했다. 모도를 낳던 날, 모도의 머리가 24시간 내내
자궁에 껴있어서 뇌에 문제가 있을 수도 있난 날에 겁을 먹고 낳았다
가, 딸이 그림을 하도 못 그려서 혹시 나때문인가란 생각에, 꾸준히
보냈던 미술학원에서 배운 그림을 그린다니. 딸이 장난치는 줄로만
알았다.

게다가 모도는 스케치북 한 권을 사면 고작 두 페이지 정도 그리고
게임은 하루에 24시간 중 15시간 이상을 하기 바빴다.

그러더니 어느날은 갑자기 유학을 보내달라 했다.
고민하다 우리 애가 이러다 잘못될까 싶어 유학을 준비하자고 했다.

그러던 중 남편이 쓰러졌다.

갑자기 혈압이 올랐다나. 여러 이유가 있었겠지만 건강한 남편이 쓰러져서 모두가 놀랐다. 그리고 갑작스러운 알레르기가 계속 올랐다 내렸다 했다. 약을 먹어도 낫지 않았다.

원인을 찾을 수 없었다. 모도 때문인 걸까.

아니면 내가 억지로 남편에게 담배를 피지 말라고 해서 그런 걸까.

아니면 남편이 가고 싶다던 바다에 낚시를 가지 못하게 해서 그런 걸까.

나는 그날로 남편에게 하고 싶은 대로 하되

내 옆에만 우리 가족 곁에만 오래 있어달라고 했다.

그렇게 남편은 하루를 평범하게 보내기 위해

계속 담배를 폈다고 했다.

10. 내 인생의 첫번째 황금기. 모도가 대학교에 들어갔던 해.

모도가 드디어 대학교에 들어가 2학년이 되던 해다.

공부도 잘 못하던 모도가 대학교에 가자 남편과 나는 우리가 할 일을 다한 것 같아 너무 좋았다.

일주일에 적어도 다섯 번은 남편과 커피를 사서 모도 학교에 드라이브를 갔다. 모도 학교 교정을 거닐며 남편과 살아온 이야기도 하고, 학교가 너무 이쁘단 이야기도 했다.

이후 모도 동생 모연도 같은 학교에 들어갔다.

우리는 이제 잘 살 일민 남있다고 남편과 밥도 먹고, 언니 공장에서 나와 가게도 차렸다.

그런데 어느 날부터 남편이 가슴이 울렁 거리는 느낌이 든다며 몸이 이상하다 했다.

느낌이 이상하다 하더니 내 표정을 보고선 걱정 말라며, 괜찮을 거라 했다.

그맘때 즘, 식품업계 종사자 직위를 유지하는데 꼭 필요한 보건증을 재발급을 가려 보건소에 갔다. 매년 보건증 갱신을 위해 보던 의사 선생님이 남편을 붙잡고 처음으로 말했다.

'X-ray 상에, 폐 쪽에 커다란 하얀색 보이시죠. 그 부분이 좀 문제가 있어 보여요. 큰 병원에 꼭 가보세요.'

11. 내 남편은 폐암입니다. 그런데 곧 나을거에요.

'괜찮을거야.' '그럼, 괜찮을거야.' 라고 서로 말하며 남편은 폐검사를 받았다.

남편이 처음으로 나한테 겁난다고 했다.
맨날 나한테 자신만 믿으라던 사람이었는데.

폐암이란다. 2주정도 뒤에 세부검사 결과가 나오는데, 그때되면 급성인지 일반 폐암인지 알수있다고 했다.

남편이 나에게 말했다.
"여보, 나 늘 운이 좋잖아. 당연히 급성이 아닐거야." 라 말하며
일반폐암이 폐암 환자중 80%이니
자기가 급성폐암환자인 20% 비율에 들 가능성 조차 없다며 걱정하지 말라했다.

그렇다면, 암이 생긴지는 6개월이 안됐을거고(당시 6개월전 건강검진에서 폐는 깨끗했다고 한다) 그렇다면 암 초기니 조심만 하면 된다며, 우리 건강관리 잘 해서 오래오래 같이 살자고 말했다.

내 남편은 이렇게 나에게 믿음과 확신을 줬다.

난 이런 우리 남편이 참 좋았다.

12. 남편은 나를 두고는 절대 안죽을거라 했다.

남편이 20%확률에 드는 급성 폐암이란다.

급성이라서 암이 생긴지 별로 안됐어도 바로 2기라나, 아니 말기라 했다.

사실 기수를 셀 수 없단다. 당장 6개월뒤에 임종준비를 해야 된다고도 말했다.

나는 세상이 무너진 것 같았다.

내 세상인 내남편이 인생에서 사라진다면, 나는 또 혼자구나. 그렇지만 내 남편은 나랑 한 약속을 안지킬리가 없는 사람이다.

그래도 무서워 시이미니께 일릴겠나 하사, 남편은 처음으로 나에게 못된말을 했다.

"우리 엄마아빠한테 상처주지마.

만약에 내가 암 걸렸다고 우리 엄마아빠한테 알려서 상처주면,

모도랑 모연이랑 같이 수면제 먹고 자살할거야.

내가 말하는 거 꼭 지키는 사람인거 알지."

나는 무섭게 말하는 남편의 얼굴이 슬퍼 보여 아무말도 하지 못했다.

그러면서 동시에 겁이 났다.
내남편은 말한 건 꼭 지키는 사람이다.

그리고 남편은 이어서 말했다.
"그리고, 여보.
알다시피, 나는 엄마 때문도 아니고 자식 때문도 아니고,
여보가 내 옆에 있으니까 절대 안죽을거야.
걱정 마. 그러니까 우리 부모님에게 절대 말하면 안돼."

나는 그 말이 너무 슬퍼서,
그리고 무서워서 남편의 부모님께 말하지 못했다.
괜히 말했다가
내 소중한 남편을 바로 잃을 것 만 같았다.

13. 남편은 담배를 끊지 못했다.

남편은 항암치료를 시작하며 담배를 끊었다가
갑자기 담배를 다시 피기 시작했다.

급성 폐암인데도, 정말 특이하게 차도가 좋게 암이 나아간다며 행
운이라며 의사선생님께 칭찬을 받고 온 날이었다.
행운이라는데, 담배를 피러 나가는 남편을 발견하고
말리려다 왜 담배를 또 피려 하냐고 물었다.

남편은, 담배를 안 피면 속이 너무 울렁거려 토할것 같다고 했다.
담배를 피면, 속이 안 울렁거린다 했다.
담배를 안 피고 회사에 가면, 계속 토하고 싶다 했다.

그리고 딸들이 남편보고 얼른 나으라며 요리를 해주는데,
그 요리를 한 숟갈 뜨려 할 때마다 토할것 같고,
그럴 때마다 자기자신한테 너무 짜증이 났다고 했다.

그리고 속이 울렁거리는 자신의 마음도 모르고
요리를 해오는 애들을 봐야 하는 자기 자신이
너무 슬펐다고 했다.

14. 시어머니는 나에게 남편 보험금 때문에 늦게 알렸냐고 물었고, 나는 대답없이 남편이 빌린 대출을 갚았다.

남편이 쓰러지고 얼마 뒤 나는 시어머니에게 결국 말했다.

시어머니는 떨리는 목소리로 남편의 상태에 이것저것 묻더니, 우리 아들이 암에 걸린 걸, 아들이 쓰러져 중환자실에 들어가고 서야 말한 거냐며 화를 냈다.

그러더니,
보험금때문에 늦게 말한 것 아니냐는 말에
나는 어이가 없어 할말을 잊었다.

'당신에게도 소중한 아들이겠지만 나에게도 내 전부인 남편인데.'

그러다가도 나도 내 아들이 암에 걸려 시한부가 된다면
그저 모든 것에 화가 나지 않을까 하고 이해하기로 했다.

남편이 의식을 잃었던 며칠간 문자가 계속 왔다.
남편 핸드폰을 보니, 캐피탈에서 온 문자였다.
보니까 캐피탈에서 2천만원을 대출받았단다.

왜 받았을까 생각하다가, 이유는 나중에 생각하기로 했다.

그보다는, 내 남편이 곧 눈을 뜰 텐데. 병을 다 낫고나서 자신이 신용불량자가 되어있는 것을 알면 너무 속상할 것 같았다. 그래서 나는 언니들에게 돈을 꾸고 열심히 김밥을 팔아 2천만원을 갚았다.

2천만원을 모두 갚은 며칠 뒤,
남편이 하늘나라로 갔다.

15. 내 남편은 처음으로 내 곁을 떠났다.

항암치료를 하며 사는 게 죽는 것보다 더 힘들다고 너무 아프다던 남편은,
죽기 이틀 전에는 나에게 제발 살려달라고 했다.

그러더니 죽기 전날에는 나를 보고 미안하다 했다.
미안하다 한 이틀날, 새벽 4시 26분, 남편은 하늘로 갔다.
4시 26분이면, 우리가 결혼한 4월 26일이다.
그 상황이 너무 슬퍼 울었다.

남편이 하늘로 가던 날 새벽 2시쯤
의사 선생님이 이제 곧 남편이 하늘로 갈 것 같다며
임종을 준비하라고 했다.

그러자, 같이 병원 중환자실 의자 앞에 앉아있던 시어머니와 시동생들은 남편이 죽으면 연락하라며 집으로 돌아갔다.

그리고 중환자실 앞에는 나와 내 딸 모도와 모연, 우리 셋만이 앉아 있었다.
'남편이 외롭겠다...'

한 시간 뒤 셋째 언니와 남동생 병주가 왔다.

"다 어디 갔어?" 그러던 것도 잠시, 갑자기 의사 선생님이 들어오라 했다.

남편의 맥박이 떨어지고 있었다.

나는 남편의 머리를 안았다. 남편은 계단에서 쓰러졌던 이후 목 아래 전체가 마비가 되었고 얼굴에만 감각이 남아 있었기에 나도 모르게 머리를 잡았다.

"여보 사랑해"라고 말하자 남편은 눈을 감은 채로 눈물을 흘렸다.

남편에게 먼저 가서 기다리고 있으라고 애들 키우고 곧 간다고 말했다.

그러자 알아들은 듯,

맥박이 70에서 40으로 그리고 0으로 떨어졌다.

삐-소리가 허공에 울렸다.

드라마에서만 보던 소리를 직접 들으니 세상을 잃은 것 같았다.

세상을 잃은 나는 소리를 지르며 울었다.

그러자 갑자기 몇 분간 삐 소리만 나던 남편의 맥박이 0에서 30으로 그리고 70으로 올랐다.

놀랐다. 내가 남편을 잡아두고 있구나...

남편이 다시 살아난다 하더라도
암이 다 전이가 됐고, 마지막 치료 중 폐혈증까지 이미 와서, 남편만 더 아프다고 했다.
연명치료를 하려 했지만 의사선생님께서는 연명치료 조차도 살아있는 우리의 욕심이라고 말했다.

마음을 다잡고, 남편에게 마지막 인사를 했다.
"여보, 미안해. 걱정 말고 조심히 가. 애들 잘 키우고 여보가 말한 대로 하고 싶은 거 다 하고 갈게. 안 아픈 곳에서 우리 잘 기다리고 있어."

그리고 모도도 말했다
"아빠 걱정 말고 잘 가. 모연이랑 엄마랑 잘 있다 올게."

그러자 몇 분 후, 다시 맥박은 0으로 떨어졌다.

나는 그렇게 내편을 보냈다.

16. 다들 내가 죽길 바라는 걸까.

나는 남편이 오랜 여행을 간 것 같았다.
내 옆에만 있던 남편이 없어졌다는 게 몇 년간 믿기지 않았다.

나는 아침 6시에 나가서 운동하고, 하루 종일 일하고, 밤 11시에 일이 끝나면 3시까지 혼술을 하다 들어왔다. 남편이 죽자마자 엄마 옆으로 이사는 왔지만, 그래도 남편이 없는 집이 싫었다.

그리고, 남편이 없다는 걸 믿고 싶지 않았다. 시어머니는 나에게 보험금을 어디다 썼냐고 물었다.
시동생은 보험금 땜에 남편 아픈 것도 안 알린 년이라고 나에게 욕을 했고, 그 이야기를 들은 둘째 딸 모연이 날 대신해 싸우기 바빴다.

그러면서도 한 성격하는 첫째 딸 모도가 이 이야기를 들으면, 집안을 뒤집어 엎어버릴까 무서워 첫째 딸에겐 쉬쉬했다. 몇 달 뒤, 둘째 모연이 결국 첫째 모도에게 말했다.
내 딸 모도는 시어머니와 시동생들에게 전화를 걸어

"우리 엄마까지 죽으면 저도 죽을 거니까 두고 보세요"라고 말했다.

그 날 이후 시갓집은 잠잠해졌다.

17. 남편이 유난히 보고싶던 날

그렇게 세월이 지났다. 5년간은 분명한 기억이 없다.

5년 동안의 기억이라 곧 눈을 뜨면 남편 생각에 남편의 화장한 유해를 모셔다 둔 절에 가서 남편한에 가서 인사하고, 가게로 돌아와 일하고 술 마시고 집으로 들어가 잔 거 정도.

그리고 가게 사람들은 남편 죽고도 일 잘한다며 욕한 정도.

사실 그 5년 후도 아마 코로나가 아니었음 기억이 안 났을지도 모른다.

내 딸들은 열심히 살았다. 모도도 프랑스에 가서 다시 공부하고, 모연이도 열심히 임용고시 공부도 했다.

사실 잘 기억이 안 난다.

나는 남편이 보고 싶어 매일 절에 갔다.

나는 남편에게 모도도 열심히 살고있다고 말했다. 모연이도 열심히 공부한다고 말했다.

'그래 뭐든 열심히 해라. 그렇게 열심히 해서 내가 없어져도 될 때쯤에 나는, 남편 옆에 가야지.'

남편이 참 보고싶다.

남편이 죽던 날 같이 죽었으면 이렇게 고통스럽지 않아도 될까.

사는게 사는 것 같지가 않았다.

18. 나는 간염에 걸렸고 둘째 모연은 죽을 고비를 넘겼다.

그러던 어느 날 부터 내 얼굴은 주황색이 됐다.

노란색도 아니고 주황색이라 너무 이상해서 병원에 갔다. 의사 선생님은 간수치가 너무 높다고 했다. 곧 간경화도 온댔다. 심장 맥박도 이상하다고 했다. 그러며 심장약을 줬다.

나는 사실 치료를 받고싶지 않았다.

사는게 사는것 같지 않은데. 이대로 남편옆으로 가면, 다들 좋아하지 않을까. 내 딸들도 잠깐 슬프다 말지 않을까. 그래서 내 병을 첫째 모도와 둘째 모연에게 숨겼다.

내가 일하는 가게에 놀러온 둘째 모연이 내 약을 발견했던 날, 울면서 모도에게 전화했다.

잠시후 모도가 가게로 뛰어왔다. 아마 내가 아픈 걸 전화로 모도에게 말했던 모양이다.

큰딸 모도는 '이렇게 해서 먼저 죽을거면, 내가 먼저 죽을래.'라며 가게에서 소리를 질렀다.

그리고 그날, 내 피곤을 풀기 위해 둘째 모연이 맛사지샵을 예약해 줬다.

나,모도,모연이 같이 어깨와 발맛사지를 받았다. 전문 맛사지사분이 갑자기 둘째 모연에게 말을 걸었다.

"저... 죄송하지만, 모연씨, 어깨에 뭐가 있는것 같아서...꼭 병원 가보세요. 제 말 흘려듣지말고 꼭 가보셔야해요."

남편이 하늘나라로 떠난 이후 가족들이 병에 걸릴 조짐만 보이면 기겁하는 첫째 모도가 둘째 모연을 급하게 병원에 데려갔다. 의사선생님은 모연이 어깨에 혹이 생겼다고 했다.

'그래 어깨인데 뭐... 별일 없겠지.'
의사선생님은 수술 직전 둘째 모연에게 말했다.

"혹시 뭐, 스트레스 크게 받은 게 있어요..?
원인 없는 혹인데 보통 스트레스를 많이 받으면 생겨요."
"혹이 많이 커서, 종양 검사도 같이 할게요."

그리고 모연이 수술실에 들어가자,
의사선생님은 전례가 많지 않은 혹이라 수술하다 모연이 잘못될 수도 있다고 했다. 남편이 없는 삶에 이제야 조금씩 적응해 간다 생각 했는데...

그러고보니 남편이 임종을 맞았던 병원 수술실에서
모연이 수술을 받고 있다.

모연이 죽을 수도 있단 말에 심장이 쿵쿵 뛰었다.
'혹시 남편의 영혼이 그래도 여기에 있을 수도 있지 않을까...'
혹시 모른다는 생각에 하늘을 보고 넋 놓고 계속 기도를 했다.
남편에게 모연이 꼭 낫게 해달라고 아니면 내가 하늘나라 모연이
랑 같이 가서 당신 죽여버릴 거라며
꼭 내 딸 좀 살려달라고 부탁했다.
사람들이 나를 봤다면 미친 사람이라 생각했을지도 모른다.

그래, 미쳐도 좋으니
내 딸만 살아 주길.
내 딸만 나아 주길.

그날 나는 수술실 앞에서 모연이 수술이 끝나길 기다리며 간절히
기도했다.

"하나님, 그리고 여보, 모연이만 살려주면 내가 진짜 제대로 살게.
여보 몫까지 살다올게."

모연의 수술시간이 지연이 됐다.

한시간 두시간 세시간... 수술이 계속 지연됐다. 첫째딸 모도와 나는 속이 탔다.

다섯시간정도 지났을까… 드디어 중환자실 문이 열렸다.
의사 선생님이 땀을 닦으며 밖으로 나왔다. 중환자실을 나온 의사 선생님이 종양을 보여줬다.
종양은 재발이 될 확률이 높아 여러 번 신경써서 처치를 했다고 한다.
그래서 오래 걸린 거니 걱정하지 말라 했다. 그리고 딸 종양을 보여줬다.

돌맹이 같았다.
꽤 컸다. 10cm라 했다.
'이 큰 게 종양이라니…
그리고 둘째 모연이 어깨에 있었 다니.'

그리고 다행히 수술이 잘 됐다고 했다.
·
·

．

그날, 꿈에 오랜만에 남편이 나왔다.

고생했다고 나를 안아줬다.

그런 남편에게 말했다.

"나 오늘 모연이 죽는줄로만 알았어. 그렇게 생각하니까 인생이 너무 허무하더라. 앞으로는, 딸들이랑 여행도 많이 다니고, 하고싶은것도 많이 하다 갈게. 여보. 모연이 살려줘서 고마워. "

그러자 남편이 나에게 말했다.

"내가 재밌게 살다 오라 했지. 왜 맨날 그러고 있어..."

놀래서 갑자기 잠에서 깼다.

맞다, 남편이 나한테 꼭 재밌게 살다 와달라 했었지...

잊고있었다.

19. 나도 해외여행을 가볼까,

모연이 퇴원을 했다.

갑자기 이렇게 일만하고 슬퍼만 하다 죽어버린다면 인생이 참 허무할 것 같았다. 남편이 마지막에 나보고 꼭 재미있게 살다 오라했는데...

나는 남편이 죽고난 후 별다르게 한 게 없었다.

사는게 지옥이었다.

그래도, 우리 둘째 모연이 수술도 잘 됐고, 남편도 오랜만에 꿈에서 보고....

기분이 좋았다.

불현듯, 남편이 다 나으면 같이 가기로 한 프랑스가 생각이 났다. 갑자기 여행이 가고 싶어 졌다.

그런데...프랑스는 다녀오려면 왕복 20시간이 넘으니, 그건 무리일 것 같았다.

오랜만에 모도에게 전화를 걸었다.

맨날 나만 보면, "엄마, 프랑스 언제갈거야?!!"라고 묻던 모도에게 물었다.

"모도야, 프랑스는 너무 멀고... 혹시 태국은 어때? 나 태국여행 가고 싶어."

모도가 답했다.
"엄마, 드디어 여행 갈 마음이 생긴거야?"

내가 말했다.
"응, 그 저기 H이자카야 사장님이 태국에 10년 살다 왔다던데, 태국 진짜 좋대."
"그리고 다음에 좀 괜찮아지면 프랑스여행 가도 될까?"

모도는, 여행가고 싶다는 내 대답에 신이났다.

돈도 없을 텐데 라며 걱정하는 나에게,
모도는 나에게 또 다른 세상을 보여주고 싶다 했다.

이튿날 모도가 나에게 전화했다.
"엄마, 비행기표 예매했어. 이거 최저가라 취소 안되는 표야. 꼭 가야돼!."
나는 알겠다고 대답했다.

나 이렇게 태국에 가도 되는 걸까.

먼저 하늘로 간 남편이 생각났다.

내 남편도 태국에 못 가봤는데...

그렇지만 다시 마음을 고쳐먹었다.

'그래, 내가 내 남편 몫까지 재밌게 지내다 가야 돼...'

여행 당일, 대전에서 공항버스를 타고 세시간을 달려 인천공항에 도착했다.

사람이 정말 많았다.

이렇게 많은 사람이 여행을 가다니... 나는 매일 가게에 갇혀 장사를 하느라 이렇게 많은 사람들이 여행을 다니는 줄은 몰랐다.

그렇게 도착한 태국 방콕에서,

D 클럽도 보고, 왓포 절에도 가고 방콕에서 꼭 먹고싶었던 끈적국수도 먹었다.

내 남편 영환이 좋아하던 크루즈도 정말 오랜만에 탔다.

이 좋은 세상을 못 보고 간

내 남편이 너무 보고 싶고 불쌍하지만,

남편 몫까지 열심히 살다 가리라.

그러려면 100년도 부족하지 않을까.

남편을 뒤따라 가고자 생각하며 하루하루를 보내던 나는,

태국에서 새로운 목표를 찾았다.
남편 영환이 늘 내게 말해주던,
"재미있게 살기..."

크루즈를 타려고 줄을 서 있는데,
방콕 아이콘시암의 야경이 빛났다.

남편 생각에 눈시울이 붉어졌다.

'이 순간을 남겨야지...'
그리고 나는 사진을 찍었다.

CHAPITRE 3 :
저는 영환입니다

Vous allez me manquer. Au revoir.
보고 싶을 거예요. 언젠가 다시 만나요.

1. 갑자기 제가 아프네요

유난히 기분이 좋던 날들이 계속됐어요. 웬일인지 부인 화주랑도
안 싸우고, 딸 모도도 저랑 말이 잘 통했고요. 2주에 한번 가는 낚시
에서 큰 광어도 몇 마리 낚았어요.

이제 내 운이 좀 트이나 싶었는데.
어느 날 부터 심장이 먹먹했습니다. 제가 줄담배를 피니 폐가 아픈
거겠죠.

난생 처음 겪는 아픔이라 이게 뭐지 싶었고,
동시에 제대로 들어 논 보험 하나 없어 두려웠어요.

별거 아니겠지 란 생각으로 미루고 미루다
결국 업무에 필요한 보건증을 재발급 하러 보건소에 갔던날,

보건소 의사선생님이 큰 병원에 가보라 하더군요.

참… 제가 생각하던 그 병이 설마 맞는 걸까요. 아니겠죠?

2. 처음으로 살고 싶습니다

그래도 저도 열심히 살았는데, 괜찮을 줄로만 알았어요.

그런데 제가 6개월 후 죽는다고 의사선생님이 말씀하시는데, 가족들에게 미안했어요.

화주랑, 내 딸들, 그리고 엄마 아빠한테 저는 늘 못난 아들이었는데…

오늘도 내 병실엔 화주가 일을 끝나고 뛰어와
제가 걱정돼 사로자고 있네요.

인생은 참 덧없네요.

죽기 이틀 전 화주한테 살려달라 했어요.
화주는 내 말이면 다 들어주니 날 살려주지 않을까요.

3. 다음생에 또 만나요

여기 까지네요.
그래도, 고마웠어요.
화주야, 모도야, 우리 나린 난이 모연아
재밌게 살다 천천히 와. 화주야, 다소다.
꼬꼬지 부터 고생만 했던 우리엄마,
그동안 고마웠습니다.
오래오래 보고싶을거에요.

CHAPITRE. FIN

1. 번외

통역사가 된 이후 일만 하며 지냈다.

그리고 몇 해가 흘렀을까… 우연히 서울 모 영화제 통역을 하다가 프랑스 대학교 같은 학교 영화과 교수님을 통역하게 됐다. 교수님이 나에게 말했다.

-모도야, 글 쓰고 싶어서 학교 갔다며. 문학과인데 글을 쓴 게 있니? 글을 쓴 게 있다면 내가 좀 볼게. 특히 영어면 좋고.

내가 답했다.
-아직 두려워서 쓴 게 없어요. 그리고 아직 준비가 안 됐어요.

교수님이 답했다.
-모두가 항상 준비가 안 됐다고 말하지. 그런데, 준비가 다 되는 순

간은 오지 않아. 일단 써봐. 네 꿈이잖아.

  그러자 내가 답했다.
  -저는 제가 통번역사도 되고 싶다고 했었는데, 그건 하고 있어요.
불어 수업도요.

  교수님이 답했다.
  -그래, 잘했어. 그런데 통역이 인생은 아니잖아. 일이지. 글 쓰는건
인생이잖아. 너한테.

  맞다. 나는 언젠가 내 이야기를, 우리 가족 이야기를 쓰고 싶던 생
각을 했다. 그 생각을 아주 가난했던 어린 시절을 보내고, 죽을 결심
까지 했던 교수님이, 그리고 지금 세계적으로 유명한 프로듀서인 분
이 나에게 말했다.

  교수님이 이어 말했다.
  -나도 지금 꿈 같은 인생을 살고 있어.
  한번 해봐.
  나도 죽고 싶었던 그날, 한 번 더 시도해 봤어.
  모도야, 너도 할 수 있다.

  그리고 그 카페에서 이 글을 쓰기 시작했다.

프랑스에서의 삶이 나에게 남긴 것들.

나는 가족이 제일 힘들 때 프랑스에 있었고, 나중엔 그 점이 죄책감이 되었다. 사실 프랑스에 갔던 것은, 아빠가 살아 있을 거란 믿음도 있었고 가보고 싶었다. 아빠가 죽는 날에 당연히 나도 죽을 것이었기에.

그래서 사실 아빠가 별이 되기 전날에도, 아빠에게

"걱정 마. 우리 곧 다 같이 갈 거니까. 같이 죽으면 되니까 괜찮아."

라고 말했던,

그리고 정말 모든 물건을 다 버려 버렸던 내가 생각난다.

그런 나에게 아빠는, "동생 좀 키워 줘. 하고 싶은 거 다 하고. 재밌게 살고.

꼭 하고 싶은 거 다 해. 행복하기도 짧다." 라는 말을 아플 때마다 하곤 했다.

그 마지막 날에도 나에게 동생을 키워 달라고 하더니,"아빠, 바보"라고 놀리는 나에게 "예쁘다"라고 했다. 여하튼, 프랑스로의 도망은 어쩌면 마지막이 될 수도 있고, 또는 탈출구가 될 수 있다 생각했던 것도 같다. 욕심이었고, 동시에 외국에서 공부하며 아빠의 마지막을 못 볼 수도 있단 고통도 있었다. 못 보더라도 돌아가서 같이 죽으면 된다는 생각도 있었지만, 죽음이란 게 하나도 피부로 와닿지 않던 그 시절 막연한 두려움이 있었다.

혹시나 아빠가 죽지는 않겠지만 아빠가 죽고 나면 아빠가 아플 때 프랑스에서 공부를 했고, 내가 도망치고 싶었던 곳이 나를 영원토록 옭아맬 거 같았다. 하루하루가 괴로워 구경도 제대로 하지 못했다. 이후, 아빠가 돌아가시고 일을 하다 '다신 안 가야지' 하던 프랑스에, '내 인생의 답을 찾고 싶다'라는 생각 하나로 다시 갔다.

유학원에선 아무리 교환 학생으로 프랑스에 가서 B2를 취득해 당시 지방대 연계 과정에 합격했다고 하더라도, 가족이 아팠든 어쨌든 학교를 졸업한 것이 아니기에 소르본대학교 마지막 학년 편입은 불가능하다고 했다. 하지만 내 삶은 불가능의 연속이었기에, 불가능에 도전해 보기로 했다.)

예상치 못한 합격 이후, 다시 파리에 갈 땐 걱정도 많았고 동시에 기대도 많이 했다. 하지만 다시 간 파리에서 무언가를 얻기보다는 또 다시 내 괴로움을 마주했다.

　그때 나의 눈에 들어온 것은 파리의 풍경보다 다양한 사람들이었다. 그곳에서 만난 내 친구들은 아빠가 세 명이기도, 엄마가 네 명이기도 했고, 10만 원이 없어서 누나가 죽기도 했고, 또 여유가 있어 어릴 때 할머니가 10억씩 나누어 주며 각자 평생 관리하라는 말을 듣기도 했다. 그렇게 우리는 다 달랐지만, 그 다름 속에서 서로를 그리고 개인의 인생을 이해했다.

　세월이 조금이나마 지나고 보니 꽤나 평온하게 다행히 별일 없이 지나왔구나 라는 생각이 들기도 하지만, 프랑스에 있던 하루하루는 내가 뭘 하는 건지 싶고, 괴로웠다. 안 외워지는 숙제들과 내 선택이 틀릴지도 모른다는 두려움으로 하루하루 무섭고 두려웠고 내 선택에 늘 불안해하는 나 자신이 두려워 슬펐다.

　그래도 두려워도 할 수 있는 건, 프랑스까지 왔으니 무언가를 찾아야 한다는 그 압박감. 그리고 그 괴로움. 그리고 그 속에서도 힘들어도 열심히하고 있는 학교 동창들과 친구들을 보며 한 걸음만 더 가보는 것이었다.

　그 한 걸음과 '한 번만 더 해 보자.' 라는 생각을 했는데
　어쩌면 난 도망친 그곳이, 나의 히든 스트리트가 됐을지도.

그때 그 초조하던, 외줄 타기 하던 내 마음이
우울한 오늘도 나에게 힘이 된다.

그렇다고 내가 이제는 100% 내 삶을 안다는 것도, 앞으로 100%
내 삶을 온전히 평온하게 받아들일 수 있을 것이라는 건 아니다. 앞으
로도 흔들리는 날도, 설레는 날도, 괴로운 날도, 아픈 날도 있겠지. 그
렇지만 그 두려움에서 도망칠까 말까 두려워하다 결국 도망쳤던 나
의 선택이, 도망친 곳에서 새롭게 그렇지만 끝까지 해보고자 내딛었
던 그 한걸음이, 힘든 날들에 '그래도 이 순간의 끝에는 또다른 구멍
이 있을 거야. 또 다른 볕이 있을 거야'라는 위로를 스스로에게 하게
해준다.

마지막은 내가 프랑스 학교 근처 스타벅스에서 여느 때와 같이 열
심히 숙제를 하고 있을 때, 한국어를 막 배운 프랑스 스타벅스 직원이
'나 나중에 이거 팔에다 새길 거야'라며 보여줬던 종이를
"혹시 나 이거 가져도 돼?"라고 물어봐서 갖고, "사진 찍어도 돼?"
라고 물어봐서 찍었던,

그 순간을 공유한다.
그래, 인생은 악보 같은 것이겠지.

다음 음표는 모르지만
우리는 어쩌면 잠시 쉬었다 다시 가기도 하고,
도돌이표를 찍기도 하고
 온점을 마주 찍고
다음 곡으로 넘어가기도 하는 것 아닐까.

나는 프랑스로 도망쳤고
프랑스만 가보고 죽기로 결심했었다.

유서를 지운 나는,
오늘도 다른 나라로 떠나는 비행기표를 예매했다.
이 도망이 나에게 새로운 탈출구가 되었듯,
남편을 잃고 우울한 엄마 화주에게도 새로운 탈출구가 되기를.

아빠는 이렇게 내 곁에 마음 속에 남아 있고
과거의 게임만 하던 나는 미래의 나를 그려 주고
죽었다.

프랑스만 가보고 죽기로 결심했다.

발행 2024년 08월 02일
지은이 모도
니사인 조미진
펴낸이 정원우
펴낸곳 글ego
출판등록 2019.06.21 (제2019-000227호)
주소 서울시 강남구 강남대로 118길 24 3층
이메일 writing4ego@gmail.com
홈페이지 http://egowriting.com
인스타그램 @egowriting

ISBN 979-11-6666-530-1